Komm schnell und setze meine Gebete fort!
mich da?
das?
Komm und be-schütze die jenseitige Welt!
Wer bist du?
Die jenseitige Welt...?

虚危
張星
房心尾

Kapitel 1
Templemaid's Dream
Yume Yume☆Yu Yu
1

Hallo!

Ich bin's, Hanamori Pink! „Yume Yume Yu Yu" ist meine zweite Serie und eine der vielen Storys, die ich schon lange schreiben wollte. Ich freu mich ja so, dass es endlich los geht! (Obwohl ich in Geschichte nicht gerade ein Ass bin...)

Das Sternchen ☆ zwischen „Yume Yume" und „Yu Yu" steht für die fünf Elemente. Die Schriftzeichen bedeuten:

„Yume" – der Name der Heldin,
„Yume" – Traum,
„Yu" – beschaulich, zufrieden,
„Yu" – Spiele

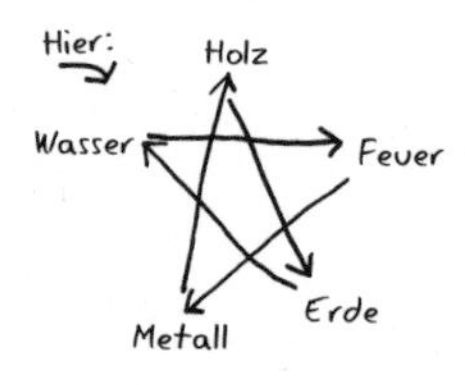

Aber keine Angst, so furchtbar kompliziert wird es nicht! Ich bin ja auch kein Experte! Die Namen der Charaktere sind eine Mischung aus chinesischen und japanischen Namen, also wundert euch nicht über die unterschiedlichen Aussprachen!

Und los geht's!

PIEP PIEP
PIEP PIEP
7:30
Yume! Beeil dich! Du kommst noch zu spät zur Schule!
Hab ich geträumt ...?
Was machst du denn so lang? Na los!
Schon halb 8!
7:30
KREISCH!
Was, schon so spät?!
Warum hast du mich denn nicht geweckt, Hime?
Hab ich doch.
Hepp
Hepp

Hast du nicht noch was vergessen?
Was denn?
Na, der blöde Aufkleber auf deiner Stirn!
Oder soll das etwa wieder irgendwas Magisches sein?
GRUMPF
Damit du schlauer wirst oder die Jungs auf dich stehen?

Du weißt doch, dass du dich dafür anstrengen musst!
Nur ein Faulpelz versucht, sich mit Magie das Leben leicht zu machen!
ZUPF
Hey!
Frechheit!

Der »gute Zwilling«: Schlau…
… hübsch, immer schick…
… und Schülersprecherin.
Schon klar, dass du das nicht nötig hast! Du bist ja auch perfekt!
Ich dagegen muss versuchen, mit Magie wenigstens irgendwas zu retten!
Sag bloß, du hast vor, dein Glück bei Aoi zu versuchen?
Da musst du dich aber anstrengen, um mit mir mitzuhalten!
SCHUCK
H…Halt den Mund!
Hime kann ja so gemein sein!
PLING

Morgen!
Morgen!
Aoi Mizuki ist mal wieder unwiderstehlich...
SCHWITZ
Kreisch
Kreisch
AOI-FANCLUB
Guten Morgen, Aoi!
Hallo Hime-chan!
TRAP

Tuschel
Das ist doch Hime, die Schülersprecherin!
Sie kennt Aoi vom Schülerrat... Er ist auch Mitglied dort.
Tuschel
Tuschel
Ich muss leider zugeben, dass sie ein hübsches Paar sind!

Meine Zwillingsschwester... Einerseits bin ich stolz auf sie, andererseits aber auch total eifersüchtig!
Sie ist der Star, und ich ...?

Yume! Komm doch mal her!
ZWINKER
Hi...
TRAP
HOPP
BUBUMM

PURZEL
Hoppla! Das war wohl nichts!
Seufz
AH!
...
Wie peinlich! Aoi-kun hat alles mitbekommen... Oh nein!
Yume
Halt still!
PLING
Mit diesem Zauber tut es gleich nicht mehr weh.

Und? Wirkt es schon? Bisher hat es immer geholfen.
Lächel
A...Aoi-kun!
Wie nett von ihm...!
J...Ja, alles wieder in Ordnung!
FLATTER
Yume-chan ...!
Scha-de ...
...
Woher kennt Aoi eigentlich Yumes Namen?
Er hat meine Stirn berührt ...!
BUBUMM
BUBUMM
Mir wäre fast das Herz stehen geblieben!
...

Was für ein wundervoller Tag!
Ich freu mich ja so, dass Aoi-kun auch an Magie glaubt...
... so wie ich!
STRAHL
Was ist das für ein warmes Gefühl...?
Wo bin ich?
Nanu...?
Da bist du ja!
PLING
Ah ...
Hääää ?
WHOP

Wie seh ich denn aus?!
Meine Gebete wurden erhört! Ich flehe dich an, neue Priesterin, rette unsere Welt! Hilf, die jenseitige Welt zu bewahren!
Wunderschön...!
Pries-terin ...?
Bubumm
POFF
Diese Wärme...!
POFF

STRAHL
W... Was?
Bitte rette unsere Welt!
Ret-te uns ...

... Pries-terin!
Was hat er denn nur?

Rekka... Du musst die neue Priesterin beschützen! Sie wird meine Gebete fort-führen!
Der Junge hat feuer-rote Haare...
Die neue Pries-terin?! Was...
Rekka, bitte! Pass auf Yume auf...!
STARR

BUBUMM

Yume, wach auf!
RÜTTEL

Wieder so ein seltsamer Traum...
Meine Hand ist noch immer ganz warm...
ZACK
Reiß dich zusammen!
Wirklich schmeichelhaft, dass mein Unterricht dich so zu Tränen gerührt hat, Yume!
Kurobe-sensei!
Stempel
Wieder wach
Sozialkunde

Komm nach der Schule in mein Büro!
Dann findest du noch mehr Grund zu heulen, versprochen.
Waaas? Aber das ist nicht fair!
Au weia ...

Du schaffst das schon! Entschuldige dich einfach bei ihm, ja?
Okay.
Zupf
Ich hab jetzt noch Schülerrat-sitzung.
Okay.
Ich krieg Schimpfe...
Ich krieg Schimpfe ...
Jetzt lass den Kopf nicht hängen! Das passt gar nicht zu dir!
Lach mal wieder!
SCHWUPP
Du solltest lieber glücklich sein! Schließlich weiß Aoi sogar, wie du heißt!

Was, wirklich ?!
Danke, Hime! Jetzt geht's mir schon besser!

Ist jemand da...?
ZACK
Warum bestellt er mich denn her, wenn er gar nicht da ist?
Eigen-artig ...

„Schließlich weiß Aoi sogar, wie du heißt!"
Ich glaub das immer noch nicht!
Träum
Das heißt ja, er interes-siert sich für mich!

Er wird doch wohl nicht in mich... Kyah!
Oh mein Gott!
Das ist ja fast wie im Traum! ♡
ROLLER ROLLER

Wie im Traum ...

BUBUMM
Das war doch ein Traum... oder?
DREH DREH
Wieso werd ich denn jetzt rot?!
Uah!
FLATTER
Mist! Das gibt sicher Ärger...
D...Das ist doch ...
Wie kann das sein?
!
WAMM

HUCH
!
Was hast du, Hime?
Ich weiß nicht... War da nicht eben ein Geräusch?
Was?
Seit wann glaubst du eigentlich an Magie, Aoi-kun?
Ach, du meinst die Sache heute Morgen?
Ja, genau.
Komisch... Irgendwie kommen mir diese Worte bekannt vor.
Ich kann mir einfach nicht vorstellen, dass ein schlauer Kerl wie du, der Star der Schule, an so was glaubt!
Ein Star? Ich?
Na klar! Die Mädchen sind ganz verrückt nach dir!
So wie Yume ...
Ehrlich? Das hab ich ja noch gar nicht gemerkt ...
Ganz schön naiv!
Arme Yume... Das wird harte Arbeit!

Ich finde nichts Schlechtes dabei, an Magie zu glauben.
Wenn man sich dadurch auch nur ein klein wenig besser fühlt, ist's doch gut!

Stimmt.
Nanu? Das kommt mir schon wieder so bekannt vor...?
Ob Kurobe Yume immer noch in der Mangel hat?
Kann ich dich mal was fragen, Hime?

Es geht um deine Schwester Yume...
Was?

ZOOOOM
Ah...
W...Was ist das denn?
Aus dem Weg! Aus dem Weg!
Oh...
PLOPP

HUCH!
W...Was bist du denn?! Bist du echt?
Natürlich bin ich echt! Blöde Frage!
Kyah! Es spricht! ♡
Die verwüsten ja das ganze Büro...!
どかんどかん
TRAMPEL
Was treibst du denn da, Ri? Hilf mir lieber, das Kirin einzufangen!
Das Kirin?!
Uah!
Kyah!

WOFF
Autsch ...
WANK
WANK
Mh...
GRABSCH
!
Pfoten weg!! Du Schwein !!
ZACK
Ich? Ein Schwein ...?!
Na warte ...

Feuerrote Haare... Das ist doch wieder der Junge aus meinem Traum!
Du bist doch...
... Yume!
Rekka, es läuft immer noch frei rum!
ZACK
Was stehst du denn noch rum, du Dummkopf?
Nanu?
Na los!
GRUMMEL

Bin ein bisschen spät dran. Was gebe ich Yume nur als Strafaufgabe?
Du möchtest mehr über Yume erfahren?
Genau.
KLIRR
?!
Nanu ?!
Was ist passiert ?!

ZINGGG
Mist! Daneben!
HOPP

W... Was ist denn nur los ?!
PANIK
PANIK
Schluss damit, Seiryu! Wir sind hier nicht in unserer Welt! Du darfst deine göttlichen Kräfte hier nicht einsetzen!

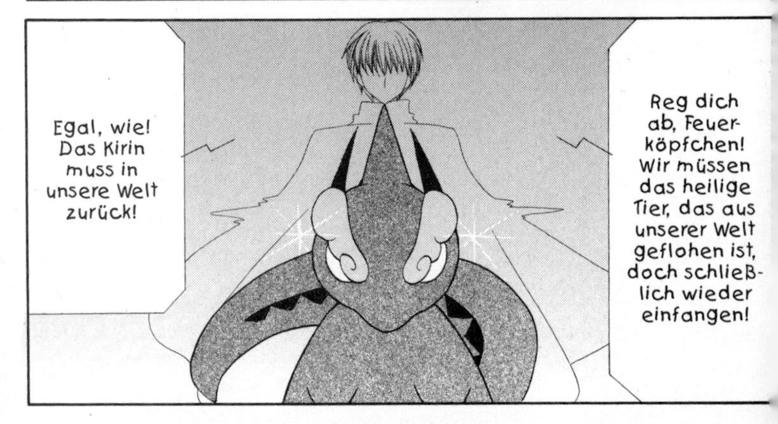
Reg dich ab, Feuerköpfchen! Wir müssen das heilige Tier, das aus unserer Welt geflohen ist, doch schließlich wieder einfangen!
Egal, wie! Das Kirin muss in unsere Welt zurück!

F...
Feuerköpfchen?!
GRRR
Was macht denn Seiryu hier?

ZACK
Hihihi! Überrascht, Ri?
Yue!
Habt ihr auch endlich gemerkt, dass das Tor zwischen den beiden Welten wegen dieses Mädchens offen steht?

Wir müssen das Kirin einfangen und zurückbringen!
Dass ein Mädchen aus dieser Welt die neue Priesterin sein soll, erkenne ich nicht an!
Sie ist schuld daran, dass unsere Priesterin... Stimmt doch, Rekka, oder?
Priesterin...

Die Priesterin...? Ich verstehe nicht...

Scharr
Ah...!
Seiryu! Schnapp es dir!
PLING
Nein !!
ZACK
ZACK
Was hat euch dieses arme Tierchen denn getan?
Aus dem Weg, du Dummkopf!
Na gut, wenn du unbedingt willst...
ZISCH
Kyah!

KLIRR
Meinst du, Yume ist in Schwierig-keiten?
SCHLUCK
Yume?!

Du schaffst es...
... Yume!
PLING PLING
Puh, hab ich einen Schreck bekommen!
Was ist denn das?
!
Seiryu! Was geht hier vor?
SWUSCH

War das eben der Fächer?
Na gut! Ich hab zwar keine Ahnung, was hier eigentlich passiert, aber ich muss es versuchen!
Flopp
FLOPP
...
Yume Kagura, los geht's!
Also, wie geht das?
HEPP

HOPP
Ach...

...tung!!

ドカー
WOFF

Wahn-sinn!
Beschütze die neue Priesterin!

BRÖCKEL
Au weia ...

Dann ist sie also wirklich die neue Priesterin ?!
Trap Trap

Im Ernst ?!
Uff!
Klonk
Klonk
Dieses unge-schickte Ding!

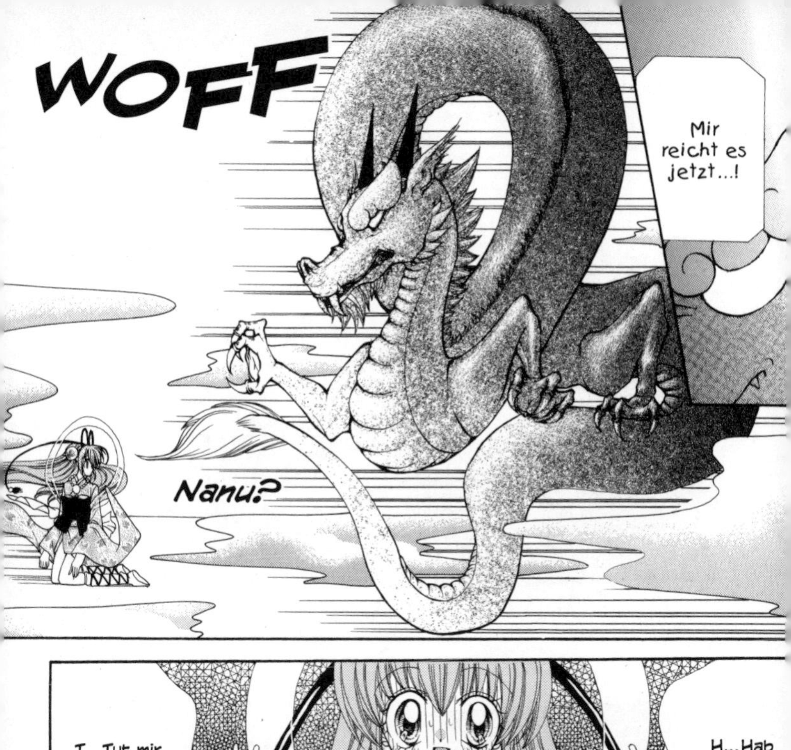
WOFF
Mir reicht es jetzt...!
Nanu?

H...Hab ich etwa nicht getroffen?
T...Tut mir leid! Ich hab's echt versucht!

Seiryu, es reicht!

Ich bin Suzaku, der Herrscher des südlichen Himmels!
Und ich werde sie mit meinem Leben beschützen!

Er ist...
... Suza-ku?
Dass ich nicht lache!
GROOOAR

Im Namen des Herrschers des Feuers...
ZOOOM
... beschwöre ich dich herauf, erstes Sternbild des Süd-himmels ...
南方火帝第一宿
CHICHIRI
... Chichiri !!!
ZISCH
Das Feuer hat das Wasser vernichtet?!

Ob ihr sie anerkennt oder nicht, ich glaube daran, dass sie die neue Priesterin ist!
SCHWUPP
Ah...
Was?
Wo ist das Tor zur jenseitigen Welt?
Das Ding, durch das ich hier bei dir erschienen bin!
BLINZEL
Schnapp
Priesterin, lass mich das machen!

Was hast du vor, Rekka?
Du willst den Spiegel doch nicht zerstören und uns zurückschicken?
Dann wirst du selbst niemals wieder nach Hause zurückkehren können!
Im Namen des Herrschers des Feuers beschwöre ich dich herauf, zweites Sternbild des Südhimmels ...
TAMAWO
... Tamawo!
ZZZING
Uaaaah!
ZISCH
Was hast du getan?
Rekka...

Das war's.
War ganz schön anstrengend... Bin ich müde!
Uh
Ich auch. War wohl etwas viel ...
STÖHN
Rekka!
Die beiden Welten... Geteilt in Licht und Schatten.
Wie zwei Seiten einer Medaille... Getrennt und doch eins.
Eines Tages, neue Priesterin...
... wirst du zusammen mit deinen vier Kameraden Seiryu, Suzaku, Byakko und Genbu, die man die vier Gottheiten nennt, herausfinden, was wirklich wichtig ist.
WUSH

Yume!
Yume-chan!
HUCH
TRAP
Da bist du ja endlich! Yume!
SCHWUPP
Die Schule versinkt im Chaos ...
Wer ist denn dieser Junge?

... und sie
schlummert
selig vor
sich hin!

Templemaid's Dream
Yume Yume☆Yoyo
Kapitel 2

Yume, aufstehen! Yume!
ZWITSCHER
Lass mich...! Nicht mal für dich würde ich am Sonntag so früh aus den Federn kriechen, Aoi...!
SCHLUCK
!
Aoi? Ich bin doch Rekka ...!
Hm?
BLINZEL
Bu-bumm
Kyah! Du Lust-molch!
PATSCH

Sag mal, was machst du eigentlich bei uns zu Hause?

Aua!
REIB REIB

Und was soll die Geschichte, dass du unser „Cousin" bist, hä?
Brüll
FUCHTEL
Vergib ihm, Priesterin!

Er muss doch in deiner Nähe bleiben, um dich beschützen zu können!
Deshalb haben wir uns das alles ausgedacht!
Wenn du meinst ...
Ri wohnt im Schrank...
So klein sie auch ist, sie hat ganz schön was drauf!
!

Ich werde sie mit meinem Leben beschützen!
Wie er das gesagt hat, hat mich ziemlich beeindruckt.

Ach ja!
Deine Schwester Hime hat übrigens irgendeine Krankheit, „Erkältung" oder so.

Was?

Hime!
STÜRM
Was ist denn jetzt?

✱ KAPITEL 1 ✱

Daran hab ich lange rumgefeilt. Anfangs wollte ich eine viel kompliziertere Story schreiben, aber das war mir dann doch zu aufwändig. Hoffentlich gefällt's euch trotzdem?

✱ KAPITEL 2 ✱

Ich wollte ein paar Glamour-Elemente reinbringen, darauf steh ich nämlich total! Deshalb posieren Rekka und Aoi wie echte Models... Cool, oder?

Wohin willst du denn, Hime? Du gehörst ins Bett!
Muss zum Schülerrat. Ich schaff das schon!
Hust
Die anderen warten schon auf mich!
SCHNAPP
Ah!
Das solltest du nicht tun. Du siehst echt...
... nicht gut aus!
SCHWUPP
Rekka ...
Bubumm

W...
Weißt du was? Ich geh einfach für dich!
Ich hoffe nur, ich krieg das halbwegs so gut hin wie du...
Yume ...
Dann komme ich mit!
Nein, du bleibst da!
Urgs!

TUSCHEL
Du musst doch auf Hime aufpassen! Freiwillig ruht sie sich nie aus!
Ah...

Aber wehe, wenn du irgendwas mit ihr anstellst! Du kleiner Lustmolch!
BÄÄH!
GRMPF
Wer ist hier ein Lust-molch?
So ein Unsinn!
...
Keine Ahnung, wieso, aber irgendwie passt mir das nicht!
Hoffent-lich wird Hime bald ge-sund!
Yume! Hier bin ich!
Ah...

Aoi-kun!
Guten Morgen, Yume-chan!

Hime hat mir schon Bescheid gesagt, dass du uns heute helfen willst. Danke!
ZACK

Außer uns ist keiner gekommen... Vielleicht, weil Sonntag ist.
Hm... Ganz schön stressig im Schülerrat!

Also, gehen wir.
Was? Wir beide allein? Ist ja fast wie ein Date!

Oh Gott, oh Gott... Da werd ich gleich ganz nervös!
BUBUMM
BUBUMM

Hey!
RUMMS!

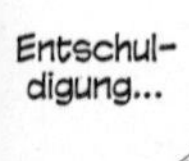

Entschuldigung...

Pass doch auf! Wir haben sowieso schon genug Probleme, uns fehlen noch Models ...
Oh! Ein Fotoshooting!
Hm?
STARR
STARR
STARR
Passt perfekt !!!
Was?
Uff
Moment mal, ich bin doch kein Model ...
Nicht so schüchtern!
FLATTER
FLATTER
Du bist das perfekte Model! Ich erkenn das sofort! Also komm mit! ♡

Hey, warte mal! So einfach geht das aber nicht!
Der arme Aoi... Ich muss ihm helfen!
Was willst du denn? Stör mich nicht bei der Arbeit, Kleine!
Ähm... Ich hab doch nur...
KREISCH
Hören Sie nicht? Er hat keine Lust, für Sie Model zu spielen!
Das wäre aber viel zu schade! Er muss sein Aus-sehen doch nutzen!
KREISCH
Das muss er nicht!
Ähm ... Ich ...
Halt gefälligst den Mund, du Göre!
Wie bitte?! Sie blöde alte Tante ...
Hey!
Was denn?

Ah!
KLIRR

BRUTZEL
BRUTZEL
Nanu?
Kommt das aus der Küche?

Was ?
Und du hast die Priesterin ganz allein gehen lassen?

Was sollte ich denn tun? Sie hat mich drum gebeten.
BRUTZEL
Außerdem kann ich ja nicht rund um die Uhr bei ihr sein.
Ich mach mir trotzdem Sorgen!
Es ist deine Aufgabe als Suzaku, sie zu beschützen! Und trotzdem streitest du immer nur mit ihr!
Ich weiß.

Natürlich hast du Recht. Aber jetzt überleg mal, wer die Priesterin bisher am meisten in Gefahr gebracht hat.
Dein Gegenstück Yue und Seiryu, der genau wie ich eine der vier Gottheiten ist. Und das alles nur, weil Yume ein Mensch der diesseitigen Welt ist!
Yue...
Deshalb hab ich den Spiegel zerstört, der diese Welt mit der jenseitigen verbunden hat.
Jetzt können sie nicht mehr so einfach hierher, aber wir können auch nicht mehr zurück.
Priesterin...
Er hat die verstorbene Priesterin geliebt.
Kein Wunder... Sie war wie eine Mutter für ihn.

Wo ist eigentlich das Kirin hin?
Seine Aufgabe ist es doch, die jenseitige Welt zu beschützen. Was wollte es hier? Ich bin nur hierher gekommen, weil ich es zurückbringen wollte.

Stimmt. Was ist wohl aus ihm geworden?
BRUTZEL
Warum mach ich das alles hier eigentlich?

Sie nimmt mich sowieso die ganze Zeit nur auf den Arm ...
BÄÄH!
Mit wem redest du, Rekka-kun?
ZACK
M...Mit niemandem! Ich bin allein!
ZUCK
!

DAMPF
Hab ich für dich gemacht! Iss, damit du wieder gesund wirst!
Gebratener Reis!
Rekka-kun...!
Ganz schön viel...
BRUTZEL
Tuschel
Mädchen können doch gar nicht so viel essen!
Ri
Meinst du?
Danke, das sieht lecker aus!
Schon komisch, dass wir bisher nichts voneinander wussten, obwohl wir doch Cousin und Cousine sind!
Haha-ha!

Meinst du, bei Yume läuft alles glatt?
Schließlich ist das fast so was wie ein Date mit dem Jungen, in den sie verknallt ist...

Weißt du, was ich mich frage? Warum hat Aoi sich plötzlich Sorgen um Yume gemacht, bevor die Schule explodiert ist?
!

Alles okay?
HUST
HUST
Ja, ja...

BUBUMM
!

Du bist sicher schon satt. Ich räum das mal weg.
Rekka-kun...

Es tut mir ja so leid! Wirklich!!
HEUL
HEUL
Nur, weil ich den Scheinwerfer umgeworfen hab, muss Aoi-kun jetzt da durch!
Du arbeitest die Schulden ab!
He he he!
Hahaha! Tja, Yume ist eben ein echter Wirbelwind!
GRMPF
Sie reden über mich?!
ZACK
Und ...
... danke noch mal!
Aoi-kun...!

SCHNIEF
Er ist ja so wahnsinnig niedlich!

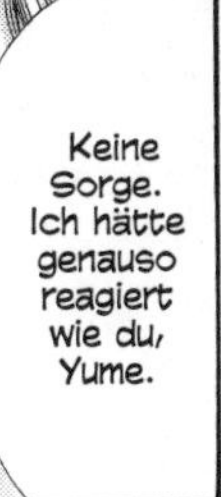

Keine Sorge. Ich hätte genauso reagiert wie du, Yume.
Ehrlich? Das kann ich mir bei dir gar nicht vorstellen...

Ich kann genauso in die Luft gehen, weißt du?
KICHER

Na, so was!

Aoi-kun... Stehst du eigentlich auf Magie?
Oh... Was frag ich denn da?

Du meinst wegen neulich?
Ich weiß auch nicht... Das kam irgendwie plötzlich über mich, als ich dich so sah.

CHICHI-SHIBORI

Ich hab aus Versehen anstatt „Chichiri-boshi*" „Chichi-shibori**" gelesen ...!
In einem Fanbrief...
HANA-MORI
Hä?
Fanbrief

Das heißt also...
Im Namen des Herrschers des Feuers beschwöre ich dich herauf ...

PAFF
Hey, du Lustmolch!
Wäre ihm wirklich zuzutrauen!
Manuskript

* Chichiri-Sternbild
**Busengrabscher

Schon eigen-artig ...
PFEIF
Aoi-kun ...?

RASCHEL
Ist das dieser Aoi?

Das ist ja das Letzte! Mich be- schimpft sie als Lustmolch, und ihm macht sie schöne Augen!

GRAP
Na, Kleiner?
Was soll das?! Hände weg!

Na, so was! Du bist ja noch süßer als ich dachte! ♡
Na, wie wär's? Hast du Lust? ♡
Was?

Hm... Fehlt nur noch ein Mädchen. Also gut, du darfst auch!
Juhu! ♡

Ach-
tung,
die Auf-
nahme
startet!
WAPP

Rekka! Was machst du denn hier?
Was ist mit Hime?

Du bist bestimmt Yumes Cousin!
Willst du uns auch helfen?

Nö, du Trottel!
GRUMMEL
Ach so.

Du musst dich umziehen! Bist gleich dran!

GRAPP
A...Ach ja?!

Bin fertig!

Alle drei zusammen, bitte! Achtung!
Was ?!
Seht mal! Sind die Jungs nicht cool?
Der ist ja süß
KNIPS
Genau so!
Ah...
Stehen wir nicht zu nah zusammen?
KNIPS
Oh ...

Noch näher zusammen! Ja, genau so!
KNIPS
Uaaaah...!

Okay! Das war super! Mein Redakteur wird Augen machen! ♡
Ihr seid echt Spitze, Leute!

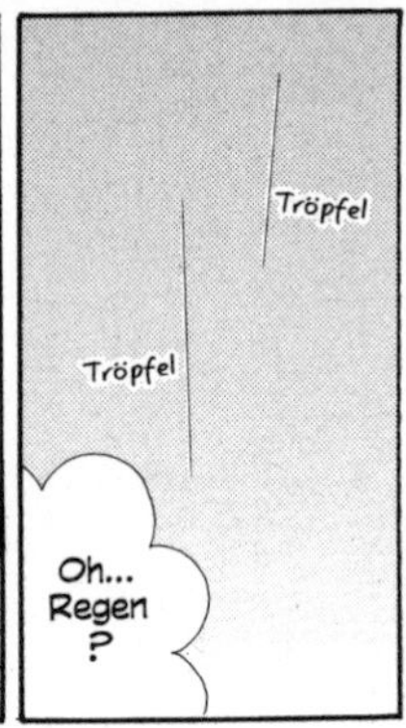
Tröpfel
Tröpfel
Oh... Regen?

PLÄTSCHER
PLÄTSCHER
Oh nein! Beeilt euch, damit nicht alles nass wird!

Rekka-kun?
PLÄTSCHER
Hm... Nicht da.

Mann...
Ich hab mich ganz schön erschrocken, als Rekka plötzlich da stand!

Wie kann er nur so frech zu Aoi-kun sein?
SCHIMPF
Dieser Idiot!
PATSCH
PATSCH

Was für ein Tag...

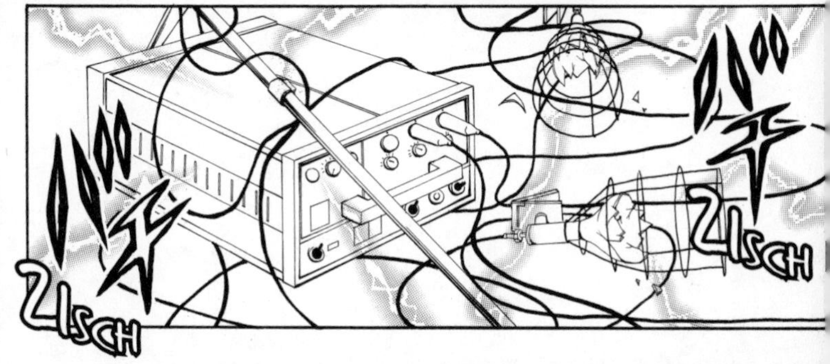
ZISCH
ZISCH

PLÄTSCHER
sta
...
Sag mal, Aoi...
... warum hast du dir vor der Explosion plötzlich Sorgen um Yume gemacht?
Ach, weißt du...
... ich glaub kaum, dass dich das was angeht, oder?
Pah

Warte mal!
GRAPP
Ich fühle es ganz deutlich ...!
Sag nicht, dass du es nicht spürst !!
...

Was willst du? Ich bin doch nicht schwul!
Ernsthaft
Jetzt rede dich nicht raus!
Darum geht's doch nicht!

Kyah! Es brennt!!
!
CAFE
Ach du Schreck! Der Bus hat Feuer gefangen!
Oh nein! Die Kleine ist doch noch immer drin, oder?

Was?!
STÜRM
Hey!

HUST
HUST
Heiß ...!
Yume-chan!
FLAMM
HUST
Tut mir leid, Aoi... Jetzt mach ich dir schon wieder Ärger!
Unsinn, Yume! Das ist doch nicht...
... deine Schuld!

!
FLAMM

ZACK
Mist! Ich krieg die Tür nicht auf...!
ZACK
Du musst die Kraft Suzakus benutzen!
Nein! Mein Element ist doch das Feuer! Wenn ich meine Kräfte benutze, werden die Flammen nur noch größer!
Verdammt... Dabei hab ich ihr doch versprochen ...
FLAMM
... Yume zu beschützen!
Ich höre ihre Stimme...
Was ist mit dir, Yume? Du wirst meine Gebete fortführen!

Du irrst dich! Ich bin keine Priesterin! Ich kann mich ja nicht mal so verwandeln wie letztens ...
Ich bin an allem Schuld! Aoi...
Nein, Yume. Er ist stärker als du denkst. Gib ihm Zeit, seine wahren Kräfte zu entwickeln...

Seine Kräf-te...?
WAPP
Yume-chan!
Aoi-kun!
PLING
Das hier ist meine Magie!
Nicht, Yume! Das ist kein Zauberspruch! Das ist...
PLING
Was ist das...?
Das ist... meine Bestimmung!

ドガァァ
WUUUSH...!
Was war das?!

Yume!
TRAP

Aoi! Bist du etwa eine der vier Gottheiten der diesseitigen Welt?!

KEUCH

Gottheiten ...?

Mach schnell, Aoi!
Du bist doch der Seiryu dieser Welt, oder?
...
Du hast in dieser Welt die Macht des Seiryu! Benutze sie, um Yume zu retten!
PLING
Im Namen des Herrschers des Wassers beschwöre ich dich herauf, erstes Sternbild des Ost-himmels ...
SUBOSHI

Wow...
Aoi-kun!
...
Suboshi!
ZOOOOSH

Ich bin Seiryu, der Herrscher des östlichen Himmels.
Ich werde dich in dieser Welt beschützen!

Aoi-kun... Rekka...
Ihr habt mich gerettet!
RAUCH...
Nanu? Das Feuer ist gelöscht...?
Seid ihr in Ord-nung?
J... Ja...
Sieht man doch!
...
Grmpf
GRINS

Yume! Warum passiert ausgerechnet dir immer so was?
Zuerst explodiert die Schule, dann brennt der Bus ...
Aber ich...
Kein „aber“!
SCHIMPF
SCHIMPF
Nicht nur, dass die schönen Fotos verbrannt sind, jetzt ist auch noch Hime sauer ...
Schnief
Guten Morgen!
Mor-gen...
G...Guten Morgen!
Aoi-kun!
Morgen, Yume-chan!
Aoi-kun...!

HEPP
Regt euch wieder ab, Leute.

R... Rekka! Was machst du denn hier?!
Na, dich beschützen! Was denn sonst?

Wie sind meine Kräfte eigentlich im Vergleich zum jenseitigen Seiryu?
Diesseitig
← Jenseitig
Na ja... Du bist nicht schlecht!
Dann kannst du ja abhauen!
Ich beschütze sie alleine!
HEY!

Übrigens ist wohl ein Pola heil geblieben, Yume!
Was, ehrlich?
Echt? Bin ich auch drauf?
Äh...
Pola = Polaroid-Foto
Seit wann verstehen die sich eigentlich alle so gut?
?
Hey, Aoi! Nicht so frech, ja?
Cool bleiben, Rekka!
DING DONG
Oh, es klingelt! Bis dann, Rekka!
Wir kommen zu spät!

Templemaid's Dream
Yume Yume☆YOYO
Kapitel 3

ゆめ☆ゆう
Gratulation!
Liebe Pink-chan, herzlichen Glückwunsch zur Veröffentlichung von „Yume Yume Yu Yu 1“! Ich hab deine Geschichten schon immer in der Nakayoshi verfolgt und muss gestehen, dass ich mich unsterblich in Kurobe verliebt hab!! Trotzdem hab ich dir Rekka und Yume gezeichnet. Ein hübsches Pärchen, find ich!
Michiyo Kikuta

13. Februar… Ein Tag vor dem Valentinstag.
Hahaha
Seufz
Was soll ich Aoi-kun nur schenken? Irgendeine Schokolade, das Symbol der Liebe… Aber welche?
Ist doch völlig egal, Yume! Sieh dir mal lieber das da an!
Was?
Schoko-Rezepte zum Valentinstag
Ich stelle euch euren neuen Mitschüler vor!
Das ist Rekka Sudo, der von heute an in eure Klasse gehen wird.
KREISCH
Rekka?!

GRAPP

Herr Lehrer, ich setze mich neben Yume. Ob Sie einverstanden sind, oder nicht!
Kyah! Was für ein Rebell!
KICHER
KICHER
Woher kennst du Yume? Seid ihr verwandt?
Was, ihr wohnt zusammen? Oh, ich würde auch gerne...! ♡
Was machst du denn hier in der Schule?
Allein zu Hause war mir einfach zu langweilig.
...

DING
DONG
Endlich Pause!
STÖHN
Die anderen nerven ganz schön mit ihrer Fragerei!
Das harte Los der gutaussehenden Männer ...
Hehe!
FUNKEL
Blöd-mann!
Dir macht das Ganze wohl auch noch Spaß, wie?!
STARR
FLATTER FLATTER

★ KAPITEL 3 ★

n diesem Kapitel wird's ein bisschen romantischer. o typisch Mädchen-Manga, eben. Ich hab mir ie Anmerkungen meines Redakteurs ziemlich zu lerzen genommen, und das ist das Ergebnis!

Na, streitet ihr beiden schon wieder?
BUBUMM
Aoi-kun!
Dieser Mist-kerl Rekka hat ...
Aua! Hör auf!
Ein Herz und eine Seele!
Wenn du meinst.

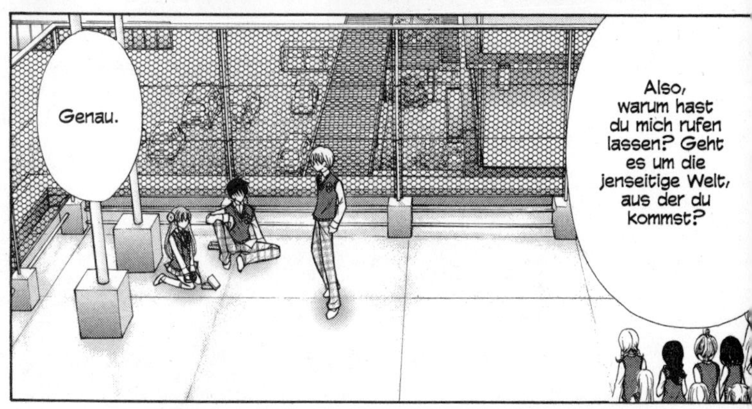
Also, warum hast du mich rufen lassen? Geht es um die jenseitige Welt, aus der du kommst?
Genau.

Die jen-seitige Welt?
K...
Kön-nen die anderen nicht alles mit-hören?
SCHWUPP
Die stehen weit genug weg!

So, wie alles eine Vorder- und Rückseite hat, ist auch die Welt in zwei Sphären geteilt.
In eure Welt des Lichts, die von den Dingen, und in unsere Welt des Schattens, die von den Gebeten des Herzens beherrscht wird.
So lange Dinge und Herz in Einklang sind, ist die Existenz der beiden Welten sicher.
Doch dann ist plötzlich unser Kaiser gestorben, der über mächtige göttliche Kräfte verfügte, und wir haben unsere Sternenpriesterin verloren.
Wie konnte das passieren?
Die Menschen in unserer Welt vermuten, dass die Ursache hier bei euch in der prächtigen Welt des Lichts liegt.
Yue...

Ohne den Kaiser und die Priesterin ist unsere Welt in Gefahr.
Und nicht nur unsere... Auch eure Welt könnte Schaden nehmen.
Möglicherweise droht die Zerstörung unserer beider Welten!
Deshalb wurde ich als Suzaku auserwählt, die neue Priesterin zu beschützen.
Ich bin hierher gekommen, weil ich das entflohene Kirin einfangen wollte.
Guck, so!
Die Schattenwelt
Kaiser
Priesterin
Vier Gottheiten
Genbu
Byakko
Seiryu
Suzaku
Ich hatte allerdings keine Ahnung, dass die Vier Gottheiten auch in eurer Welt existieren.
Hm ...
Die Vier Gottheiten der Welt des Lichts
Byakko
Seiryu
Suzaku
Schau!
Alles verstanden, Yume?
...
Bist wohl wieder etwas erschöpft, was?
ZWACK

KREISCH
Wie süß! Rekka hat sie ins Ohr gekniffen!
Ich wünschte, er würde das bei mir machen!
Süß ?!
Das tut weh!

Aber wenn in eurer Welt alles drunter und drüber geht, warum verschwendet ihr dann eure Zeit mit der Jagd auf das Kirin?
Das ist... Weil...
Ähm ...

Das Kirin ist ein Symbol für den Kaiser, richtig? Ohne es kann kein neuer Kaiser bestimmt werden.
Wir müssen es schneller finden und einfangen als die anderen, stimmt's?

Wow! Du bist echt clever, Aoi-kun!
STARR
Hmpf

Außerdem verfügt das Kirin über die Macht, alle Wünsche zu erfüllen.
Es kann Wünsche erfüllen ?!
Mit seiner Hilfe können wir unsere Welt wieder genauso werden lassen, wie sie war.

DING DONG
WOW!
Be-
stimmt
denkt sie
gerade an
irgendwas
Romanti-
sches!
?

Aber
was, wenn
das Kirin
schon wieder
in eure Welt
zurück-
gekehrt
ist?
Kann
ich mir nicht
vorstellen.
Schließlich ist
der Spiegel
zerbrochen.
Genau.
Es ist
hier,
ganz
sicher.

Wir müssen
es fangen,
bevor Yue und
die anderen eine
Weg gefunden
haben, hierher
zu kommen!
GRAPP

SCHWUPP
Nanu? Was machst du denn hier, Aoi-kun?
Hime-chan!
Ich hatte ja keine Ahnung, dass sich...
... die beiden Stars der Schule so gut verstehen!
STARR
Tuschel
Äh... Wie bitte?
W... Weißt du...
Verstehen wir uns gut? Wär mir neu!
Und mir erst!
Blinzel
Ist ja auch egal. Ich bin eigentlich wegen der Legende von Urayama hier, Yume!
Eine Legende ?!

Sag bloß, du kennst sie nicht? Die ganze Schule spricht davon!
Manchmal kann man nach dem Unterricht am Urayama-Berg...
... ein merkwürdiges Leuchten sehen. Wenn ein Pärchen gemeinsam dorthin geht und das Leuchten sieht, heißt das, sie sind füreinander bestimmt.
Utsugi und Kawamoto haben's auch gesehen und sind inzwischen verheiratet!

Wow ...
Das gefällt dir doch sicher. Sollen wir hingehen?
Au ja! Unbedingt!
(Mit Aoi-kun...)

Dann mal los, Yume!
Hä?!
SCHNAPP
KYAH!
KYAH!
Lass das! Wie sieht das denn aus ?!
PAH!
Heute sieht's sowieso nach Regen aus.
Außerdem würde ich Rekka morgen gern mein Valentins-tagsgeschenk dort über-reichen...
BUBUMM
Nanu?

Hime...?
Was ist das, ein Valentinstags-geschenk?
Oh nein... Was jetzt, Rekka?

Flüster
Geh ruhig! Ich kümmere mich um Yume und achte auch dar-auf, ob mir das Kirin über den Weg läuft!
Hm
A...Aoi-kun kümmert sich um mich...?!
Ja, genau! Mach dir um mich keine Sorgen. Du solltest Hime den Wunsch erfüllen.
Hm...

...
Tropf
Tropf

PLATSCHER
Sieht ja toll aus, Hime!
Das sind ganz besondere Pralinen! Davon gibt's nur ganz wenige, und nur am Valentinstag!
Wow... Ist ja Wahnsinn!
Aber du weißt, dass Rekka unser Cousin ist ...?
Hat sie sich etwa in ihn verliebt...?
Cousin und Cousine dürfen sogar heiraten!
H... Heiraten?!
Nur ein Scherz! ☆
Das ist doch nur ein Dankeschön für seine nette Krankenpflege letztens!
Ach so!
Uff

Und was schenkst du Aoi-kun? Was Selbstgemachtes?
Ich drück dir die Daumen!
Danke, Hime.
Hime ist doch in Rekka verknallt, ganz sicher!
ZACK
Also, gute Nacht!
Früher hab ich Yume immer ausgelacht, wenn sie mit Magie versucht hat...
... jemandes Herz zu gewinnen, aber inzwischen versteh ich sie ein bisschen.

...
Ich frag mich nur...
... warum mich das so stört?

KLAPPER KLAPPER
Mann... Das hab ich mir aber viel einfacher vorgestellt!
Du schaffst das, Yume!
Miso ??
Miso-Paste*

Was treibst du denn da?
SCHRECK
Ah!

Bäh... Was ist denn da drin?
Igitt

SPUCK
Das geht dich nichts an! Ist für Aoi-kun!

SCHLUCK
Für Aoi? Wieso das denn...?
Eigenartig...

* Miso-Paste wird für Suppen verwendet und schmeckt sehr salzig und würzig... Ist also gar nichts für Schokolade!

Dieses Geschenk soll dir sagen, wie sehr ich dich mag! Du bist mein Ein und Alles!
Mit limitierten Valentinstags-Pralinen!
Am Valentinstag habt ihr die einmalige Chance, eure Liebe zu gestehen!
Ah!

STARR
Ach, jetzt verstehe ich! Darum geht's also!
...
BLINZEL
...

W...Weißt du, Hime hat es zwar abgestritten...
... aber ich glaub, sie hat sich wirklich in dich... Ähm...

Wenn das so ist, wird sie's mir ja wohl selbst sagen.
BUBUMM
Was...?

Frechheit! Dabei mach ich mir doch nur Sorgen um Hime!
GRUMMEL
Dieser Mistkerl!

14. Februar
Valentinstag
Was ist denn mit dir, Yume?

Ach, nichts.
Jetzt bin ich schon mal mit Aoi alleine, da sollte ich endlich mal auf andere Gedanken kommen!

Wahnsinnig viel los hier, nicht?
Puh, ist das aufregend!
KICHER KICHER
Da wird sich das Kirin sicher nicht blicken lassen!

Und, vermisst du Rekka heute?
Überhaupt nicht!
Pralinen

Gut.
Glaubst du eigentlich an Schicksal?
Was?

Na, du bist schließlich die Priesterin und ich bin Seiryu, dein Beschützer.
Ich glaube fast, wir beide sind durch das Schicksal verbunden!
Aoi-kun...!
Jetzt...!
BUBUMM
Das ist für dich!
ZAPP
Kyah!

Schmeckt's?
Superlecker! Viel besser als Yumes Pralinen!

Hat sie dir auch welche ge-schenkt?
BUBUMM

Quatsch. Die hat sie für diesen Blödmann gemacht.
Hmpf
Ach so!

Ich kann irgendwie kaum glauben, dass du mein Cousin sein sollst, Rekka.
Obwohl alle dich kennen und es auch viele Fotos gibt...

Weißt du...

... ich hab mich in dich verliebt!
Ich bin ein nettes Mädchen.
Ich weiß.
Danke.

Hä...? Was ist das denn für 'ne Antwort?
Oh... Tut mir leid.
Aber zumindest hast du nicht gesagt, dass du auf Yume stehst!
Lächel
Ach, was soll's! Ich hab von Anfang an nicht an die Kraft von verzauberter Schokolade geglaubt!
Entweder, verliebt man sich freiwillig in jemanden oder gar nicht!
SCHLUCK
Sorry, ich muss weg!
Tut mir echt leid!
PLUMPS
Yume ?!
Rekka-kun?!
Was ist das ...?

Was treibt ihr denn hier? Mir scheint, ich bin gerade noch mal rechtzeitig gekommen!
Kurobe-sensei!

Das ist beschlagnahmt!
Oh... Meine Pralinen!

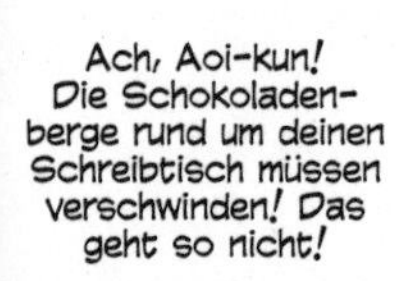
Ach, Aoi-kun! Die Schokoladenberge rund um deinen Schreibtisch müssen verschwinden! Das geht so nicht!

Jetzt sofort!
Uah... Was für ein böser Blick!

Sch... Schaffst du das allein, Aoi-kun?
Kurobe ist ja ein echter Sklaventreiber!
Keine Sorge. Die Pralinen der anderen interessieren mich sowieso nicht.

Aber deine Schokolade hol ich mir von Kurobe zurück, versprochen!
Was...?
...
SEUFZ
Das glaub ich einfach nicht!
FLAPP FLAPP
Nanu ?

WAPP
Kyah ...!
Yume! Bist du okay?
ZACK
Rekka...!
Krah
Krah
Wir wollten nur mal sehen, ob das Kirin vielleicht aufgetaucht ist.
Richtig, Zack?
Aber offenbar war ja nichts los.
Streichel
Krah
Das sind ja Himes Pralinen...!
KNISTER
D...du hättest nicht extra herkommen müssen!
Führst dich ja auf wie ein Stalker!
Ein Stalker?
(Was ist das überhaupt?)

BLITZ
Kyah!
Was ist das für ein Leuchten? Das Kirin ...?
Komm mit, Yume.
SCHNAPP
Keuch
Keuch
Keuch
Keuch
Das ist nicht das Kirin...
Wow ...!
Das ist nur das Mondlicht, das sich im See spiegelt!
FUNKEL
Das ist...

... wunderschön ...!
Kyah ...!
SCHWUPP
Ja...
Dann war das gar nicht das Kirin!
Yume!
RUTSCH

Ah...
Rekka...!

Bist du okay?
J... Ja, danke.
Er hat mich schon wieder gerettet!
Streck mal die Hand aus, Rekka.
Hm?
Zack
Wahrscheinlich willst du sie gar nicht... Du hast ja jetzt Himes Pralinen...
Als Dank, weil du mich immer beschützt!
...

KNABBER
Danke! Schmeckt furchtbar!
D...
Du bist ge-mein!
Wenn sie so scheußlich sind, gib sie wieder her!
Nö! Die haben doch genau den schrecklichen Geschmack, den ich so mag!

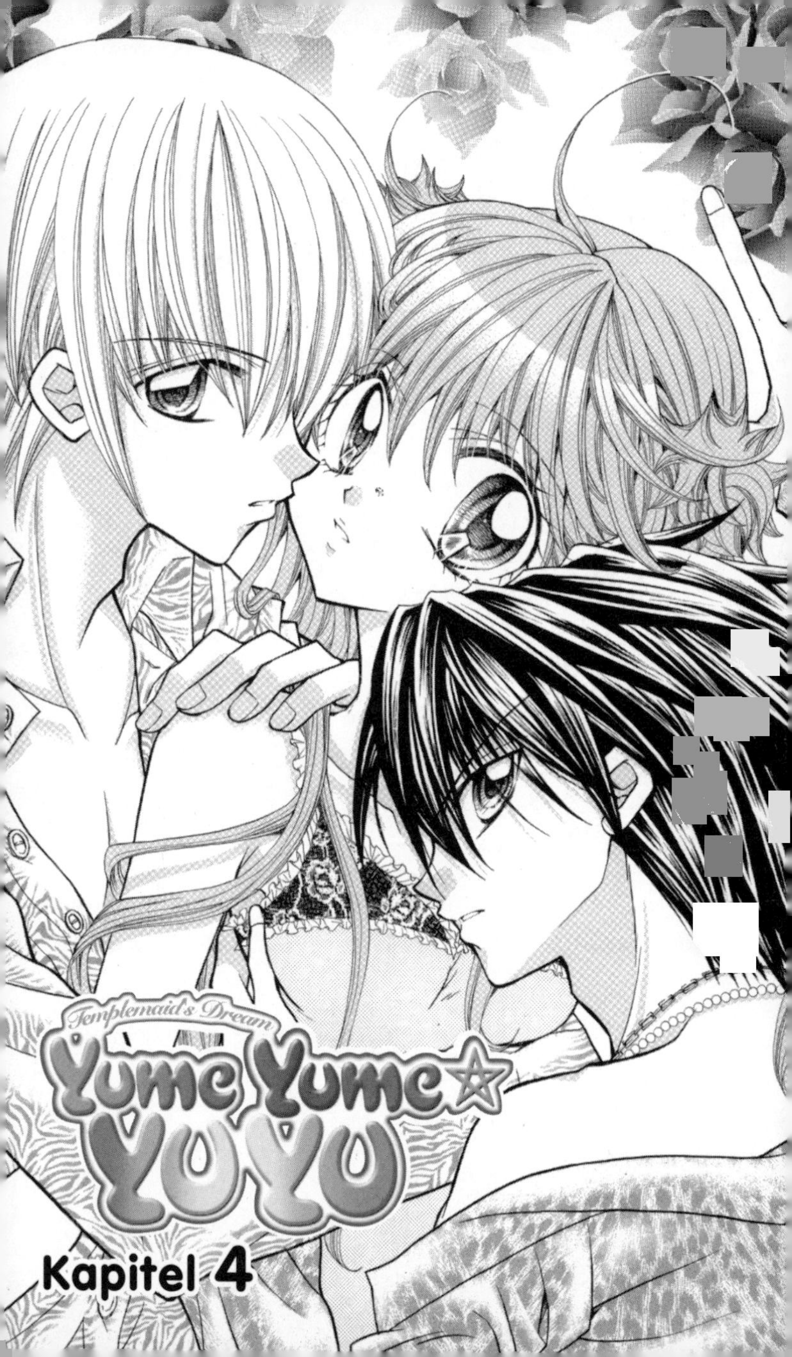
Templemaid's Dream
Yume Yume☆Yu Yu
Kapitel 4

*** KAPITEL 4 ***

Ich liebe Vergnügungsparks! Vor allem die Hellseher und Wahrsager dort! Jetzt geh ich zwar nicht mehr so oft hin, aber ich hab mir auch schon aus der Hand lesen lassen. Der Untertitel dieses Kapitels ist übrigens „Kiss, kiss, kiss!"

*** KAPITEL 5 ***

Das Zeichnen dieses Kapitels hat richtig Spaß gemacht! Die Kämpfe und Wortgefechte... Großartig! Vor allem Kurobes Verwandlung hat mir gefallen, und euch auch, wenn ich nach eurer Fanpost gehe! Lustig war auch die Szene aus Rekkas Kindheit...

Ich wollte hier ein zweites Kirin meiner Art finden!
STRAHL
Ein zweites Ich, das ich mehr liebe als alles andere!
Runter da, du bist schwer!
Wenn ich es gefunden habe...
... und wenn du mit deinen vier Kameraden erkennst, was wirklich wichtig ist, dann wirst du eine wahre Priesterin sein!
Dann werde ich euch eure Wünsche erfüllen!
SCHWUPP
Warte ...!

Warte ...!
ZUCK
Wie-der ein Traum ...?
SCHRECK
„Eine wahre Priesterin..."
Was bin ich denn dann jetzt ?
Hey, Yume.
Rek-ka!
Hör mal, sollen wir morgen ...
KATSCHUNK
Rekka ?
Warum glaubst du eigentlich daran, dass ich die Pries-terin bin ?

Nur, weil es die andere Priesterin, deine Ersatzmutter ...
... gesagt hat?
Du und Aoi seid meine Beschützer, aber ich hab gar keine richtige Aufgabe!
Dummerchen! Über so was machst du dir Gedanken?
Hey!
Das ist aber mein Ernst!
Ich glaube an dich, weil ich es eben will.
DRÜCK
Über den Rest brauchst du dir keinen Kopf zu machen!
Rekka?!
L... Lass mich los!
STRÄUB
Aua! Sei nicht so grob, du Zicke!
Rekka... Priesterin...

Nanu? Seid ihr beiden noch wach?
SCHRECK
SCHRECK
Hime!
Oh nein... Was soll Hime denn jetzt nur denken!?

FLATTER
Also dann, gute Nacht!
Hat sie mir überhaupt zugehört ...?
Seufz
...

So ein Schreck!
Aber nett von Rekka, mich gleich wieder so auf-zumuntern!

Ich freu mich riesig, Rekka!
Vielen Dank für die Einladung!
Bell Vergnügungspark
White-Day*-Ticket
14. März
Was?

* Der White Day ist das Gegenstück zum Valentinstag, an dem die Mädchen von den Jungs Geschenke bekommen.

White Day
Du konntest gestern kaum einschlafen, stimmt's?
Wie war es eigentlich am Valentinstag mit Aoi-kun?
KICHER
War ganz nett...
Tuschel
Untertreib doch nicht so!
Ich hab gehört, dass deine Pralinen die einzigen waren, die er angenommen hat! Glückwunsch!
GLOTZ
Äh... Also...

Guten Morgen, ihr zwei!
Also dann, viel Glück!
Bye-bye!
ERRÖT
Äh ...
Ich drück dir die Daumen... Und mir selbst auch!
Was...?

Ist was passiert?
N... Nein!
SCHNAUB
HA
HA
HA
...
Ich hab da noch was für dich... Hast du nachher Zeit?
BUMM
Oh...
Am besten nach der Schule ...
Hab hier was gefunden!
Wird konfisziert!
Hihihi hihihi hihi!
O... Okay!
Also, bis später!
Ein Geschenk? Was denn nur? Kyaaaah!

...
Stört dich das?
PFFT
Ach was. Wieso sollte es?
Gut.
Hihi
Danke noch mal!
Ich hab gar nicht damit gerechnet, dass du dran denkst!

Hime! Kannst du mir beim Tragen helfen?
Schwupp
J... Ja!
Bis dann, Rekka!
Flüster
BUBUMM
Streich
...

Wow, wie wunder-schön!
Was für 'ne tolle Idee, in den Vergnügungspark zu gehen!
Vielen Dank für die Einladung!
STRAHL
Beruhig dich wieder, Yume-chan!
KYAH
LÄRM
KYAH
Möchtest du Pop-corn, Ri?
Oh, danke! ♡
POP

Aber Priesterin ...
Was ist mit Rekka...?

Tickets
Ah!
Rekka!

Was mach ich denn jetzt ...?

Am Abend des 14. Februar...

WÜRG
Aoi
↑ Yumes Pralinen

SCHLEPP
Uff! Ist das wirklich die Aufgabe der Schülersprecherin?
Ich komme noch zu spät zu meiner Verabredung!
Was ist hiermit, Kurobe-sensei?
ZACK
Materialraum
Oh!
Der Lehrer...
... und Mashiro-chan aus dem Fernsehen?!
STOLPER
T... Tut mir leid!

TRAP TRAP TRAP
Offenbar hat sie da jetzt irgendwas missverstanden. Na ja, auch egal.
Du bist wirklich ganz schön raffiniert!
Ich bin eben ein bekanntes Fernsehsternchen!
Meine Valentinstag-Pralinen haben sich nicht umsonst so gut verkauft!
Haben sie dir eigentlich geschmeckt?
Ich hab mir Sorgen um dich gemacht! Zum Glück ist dir bei der Explosion nichts passiert.
In letzter Zeit passieren dir ganz schön viele Unfälle!
Das einzig Gute daran ist, dass ich ein neues Büro bekommen hab.
?!
Wo ist das Bruchstück?!

!
Wow! Sieh mal, da kann man sich die Zukunft voraussagen lassen!
Handlesen... Klingt spannend!
HANDLESEN
Liebe Freundschaft
Juhu
Lass uns das ausprobieren!
Gleich wird sich herausstellen, wie gut wir zusammenpassen!
Super! ♡
Geht das so?
BUBUMM
Was für riesige Hände er hat!
BUBUMM
BUBUMM
BUBUMM
Mit diesen Händen...
STREICHEL
STREICHEL
Ohoho!
Sie ist wohl wieder in der anderen Welt...

Oh, es kommt!
RATTER
Lass mal sehen!

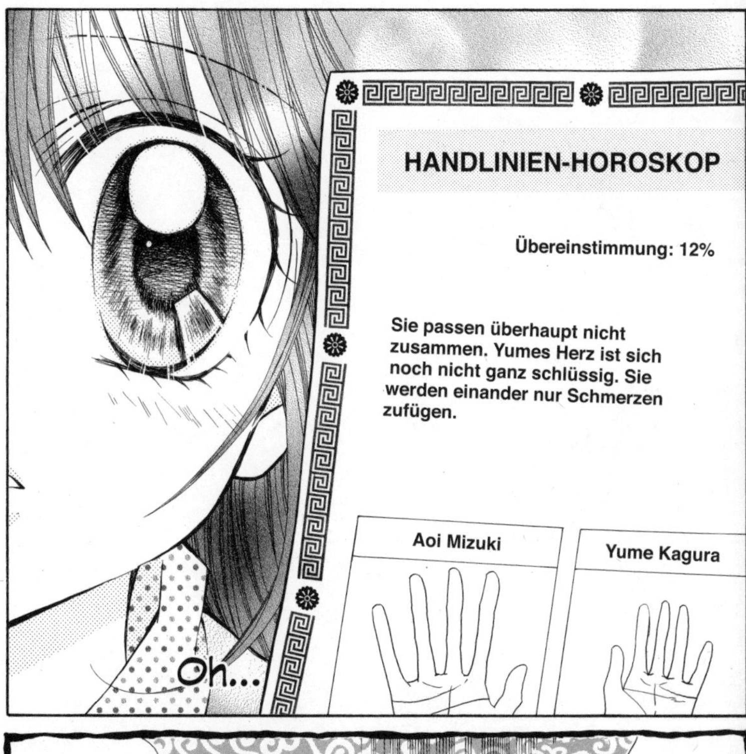
HANDLINIEN-HOROSKOP
Übereinstimmung: 12%
Sie passen überhaupt nicht zusammen. Yumes Herz ist sich noch nicht ganz schlüssig. Sie werden einander nur Schmerzen zufügen.
Aoi Mizuki
Yume Kagura
Oh...

Ich bin an allem schuld!
SCHNIEF
Ach was, das ist doch nur ein Horoskop!

Dann arbeiten wir eben ab jetzt an unserer Übereinstimmung...
... ja?

Ja!
Er ist so wahnsinnig optimistisch... Das mag ich so an ihm!
Ihr seid alle immer so nett zu mir... Danke!
Wir alle ...?!

Rekka! Tut mir leid!
TRAP
Ich musste Kurobe-sensei noch helfen.
Bist du sauer?
Ach was!
Da bin ich aber froh!

Sollen wir Karussell fahren? Oh, bitte fahr mit mir!
!
HOPP
Auf diesen komischen Holzpferden...?
SCHWITZ
Äh ...
Siehst du? Macht doch Spaß!
Gezwungen
Was?
Ehrlich, Aoi-kun?

Du hast die Tickets also als Dankeschön erhalten?
Danke fürs Modeln!
Hier, schenk ich dir!
Die Fotografentante hat sie dir gegeben?
Ja, stimmt. Hoffentlich bist du jetzt nicht enttäuscht?
Yume und Aoi ...?
Oh, Rekka!
Ri?
Hey! Wo siehst du denn hin?
Du bist mit mir hier, vergiss das nicht!
ZACK

Nanu...?!
...

Ah...
Yume-chan!
TRAP
Yume !!
Warte doch, Rekka!

BUBUMM
BUBUMM
BUBUMM
BUBUMM
Warum lauf ich denn jetzt weg? Was ist nur los...?
Ich versteh das alles nicht!
Yume, warte!
Nein! Bleib weg!
Verschwinde ...!
ZACK

Ah...

PATSCH
Was soll das denn?! Was hast du dir dabei gedacht?!
Du blöder Idiot!
ZACK
SEUFZ
Mist...

HEUL
Dieser Volltrottel! Ich hasse ihn!
Priesterin...
Oh Mann! Ich versteh überhaupt nichts mehr!

Vor allem mich selbst versteh ich nicht.
Warum geht mir das alles so nah?
Ich bin doch echt das Letzte!
Ich muss mich endlich konzentrieren, sonst finde ich das Kirin und die anderen Gottheiten nie!
TRÖST
Aber nicht doch!
Popcorn

Rekka hat sich sogar gegen seine Kameraden aus der Schattenwelt gestellt, um dich zu beschützen!
Und auch Aoi fühlt sich dir durch das Schicksal verbunden. Das tun sie nicht nur, weil du die Priesterin bist!
Und ich...
PLING
Du bist nur noch etwas unsicher, weil das alles neu für dich ist!
Aber keine Angst, wir alle haben dich sehr gern!
Ri...!
Du wirst sicher eine ganz tolle Priesterin!
KNUDDEL
Wir haben dich doch lieb!
Lass dich knutschen! Du schaffst das schon!
Schmatz
Schmatz
Schmatz
Auch wenn ich mich immer noch total unsicher fühle...
SCHNIEF
Danke, Ri!

RASCHEL
Yume! Da bist du! Ich...
Rekka!

Da ist sie ja! Du hattest Recht, Aoi-kun!
Yume-chan!
...
Hime! Aoi-kun!

Die beiden...
... sind meine Vertrauten. Sie verstehen mich!

Yume-chan, verzeih mir, wenn ich dich erschreckt hab!
Das wollte ich nicht!
Ich weiß.
Danke!
Priesterin ...
Die Kleinen sind wirklich noch Kinder!
Jetzt ist alles wieder gut.
Hab mir Sorgen gemacht!
Entschuldige!
Alle sind glücklich und zufrieden!

Alles ist gut, wie es ist.

Du erkältest dich noch! Mach lieber zu!
Uah!
SCHRECK
Erschreck mich doch nicht so!
KEUCH KEUCH
I...Ich...
Ich...
...

Du stehst also echt auf Aoi? Ich fass es einfach nicht!
Was findest du nur an dem Kerl?
PATSCH
PATSCH
Aua!
Nanu? Alles ist wie immer...

Ach ja? Und was genau findet Hime an dir, hä?
Hey! Na warte...
Nein, du wartest!
... nicht wahr, Rekka?

Oh, Hime!
WAPP

Keine Angst, alles in Ordnung!
Ich wollte nur fragen, was mit unserer Verabredung zum Lernen ist, Rekka?

Stimmt ja! Geh schon mal in mein Zimmer!
Bin gleich da!
ZACK
Warum nur hat er mich dann geküsst...?

KLONK
WHITE DAY
Nanu...?
Also gut... Ich hör auf, Fragen zu stellen!
Dumm-
kopf!

Yume und Rek-ka... Ich darf nicht so viel drüber nachden-ken.
Ah!
KLONK
Die Bruch-stücke...
SCHNAPP
Moment mal, passen die nicht zusam-men?

...?!
KLACK

Templemaid's Dream
Yume Yume☆YoYo
Kapitel 5

Michiyo Kikuta-sensei und Yuriko Takagami-sensei waren bei mir zu Hause und haben für mich gezeichnet! Vielen Dank für die Hilfe!

Danke, danke, danke...!

Liebe Pink-chan!

Vielen Dank für heute und gestern! War das ein Spaß! Deine Hunde sind echt süß!
Ich hab dir meinen geliebten Kurobe gezeichnet. Ich liiiiebe ihn! Für ihn würd ich sogar 10 Reisschüsseln aufessen!
Ich freu mich auf ein Wiedersehen!
Michiyo

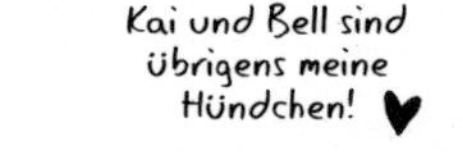

Kai und Bell sind übrigens meine Hündchen!

An Pink-chan!
Die 2 Tage bei dir waren echt nett! Vor allem Kai und Bell waren total niedlich, und deine Wohnung ist ein Traum! Das Essen war echt lecker, und Shizuoka ist 'ne tolle Stadt! Mit dir und Michiyo-chan war's superlustig!

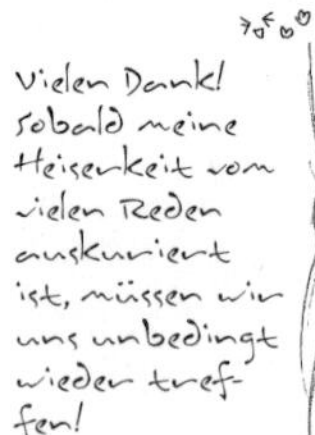

Das ist Michiyo-chans Kurobe! Aber 10 Reis-schüsseln?!

Vielen Dank! Sobald meine Heiserkeit vom vielen Reden auskuriert ist, müssen wir uns unbedingt wieder treffen!

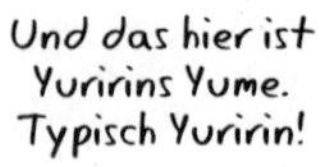

Und das hier ist Yuririns Yume. Typisch Yuririn!

From Yuririn

Kirschblüte!
Oh, wie schön!

Aois Eltern müssen ganz schön reich sein!
Ist das nicht toll?
Hime, nicht!

Haha! Das ist das Anwesen meines Großvaters.
Leider wird mein Cousin mal alles erben.
Bin ich dir trotzdem gut genug?
In der Welt der beiden…
A…Aber natürlich …!
Vorsicht! Achtung!
RUMMS
Uah!

Was soll das denn?
Halt die Klappe. Ihr wart eben im Weg.
Wohin soll ich das bringen, Aoi? Da rüber?

Was führt Rekka sich denn so auf?

Warum wohl...
Warum wohl...
Warum wohl...
BÄÄÄH!

Bist du dann fertig mit Zunge rausstre-cken?
Äh... Entschul-dige...!

Ist mir doch egal! Ich steh auf Aoi, ganz einfach!
Alles andere ist egal!
Piep!
Und, schmeckt's euch?
Ja! Ist echt lecker!
Kyah... Aoi hat mich angelächelt!
ZACK
Hier ist noch mehr!
Und hier! Und hier!
ZACK
Und hier!
WOMP
Uff!
Krass! Der kämpft ja ganz schön!
Respekt ...
Iss, iss!
Aoi ist ja schon ganz grün...!
SCHWUPP
Äh...
Kann ich auch was haben?

Kurabe ?!
Mal sehen, ob du wirklich so lecker gekocht hast!

Das ist Dieb-stahl!
Was fällt Ihnen ein, hier ein-fach so aufzu-tauchen?
SCHIMPF SCHIMPF
Nicht, Yume! Ich hab dir doch von meinem Cousin erzählt...

Das ist er! Soseki Kurobe, unser Lehrer!
SPUCK
Was ?!
Ach du Schreck !
Rekka
Yume
Pfui Teu-fel ...!
Alles in Ordnung, Herr Lehrer?
Hime

Was machen wir jetzt, Yume?
Idiot...!
Keine Ahnung!
Er kommt wieder zu sich!

Yume Kagura... Du bringst mir jetzt sofort ein Bier für meine ausgetrocknete Kehle!
Aus dem Kühlschrank!
KEUCH
J... Ja!

Oh nein... Kurobe, dieser Teufel!
TRAP
Nanu?
Kyaaaah!
SCHRECK

Yume-chan! Ist dir was passiert?
ZACK
Yume !!
Ah...
BUBUMM
PLATSCH
Was treibst du denn wieder?

ひょい
Du brauchst doch nicht zu ertrinken, nur weil ich Durst habe!
Mann, bist du schwer!
SCHWUPP
Blöd-mann!
HEUL
Warte, Yume!
NOCK
Erwischt!

HATSCHI!!

Bist du okay?
Hime kommt gleich mit trockenen Klamotten, hat sie gesagt.

Okay.
BUBUMM
Was jetzt?
Ich sitze hier halbnackt, ganz allein mit Aoi-kun...
BUBUMM

Sag mal, meint es Hime eigentlich ernst mit Rekka?
ZUCK
Was?

Er mag zwar eine der Vier Gotthei-ten sein, aber er gehört in die jenseitige Welt.
Ich aber bin der Seiryu der diesseitigen Welt.
Das ist der Beweis ...
ZACK
Aoi-kun...!

Yume-
chan...

Er ist nur hier, um das Kirin zu suchen. Eines Tages wird er wieder verschwinden.
PLING

Rekka gehört nicht hierher. Er gehört in die Schatten-welt!
Aoi-kun...?

Ich werde dich be-schützen!!
Tut mir leid, dass ich dich neulich mit meinem Kuss überrumpelt habe. Ich werde warten, so lange du willst!
Allerdings nicht zu lange...
Aoi-kun...
Ich bring dir was Heißes zu trinken!
Warte hier, ja?
Okay!

Wie für
sorglich
von dir
Aoi.
Du solltest nur aufpassen ...
... dass dir das nicht zum Verhängnis wird.

ZACK
Aoi-kun? Das ging aber schnell ...

Hä?!

Also wirklich, Yume! Musste das sein? Du hast das ganze Picknick verdorben!
Typisch!
Nanu?
Ich will nicht Karussellfahren...
Ach was, das ist lustig!
N... Nanu?
...
Gefällt dir das wirklich?
Ja. Ich kaufe es.
...?

...
Rekka-kun...?
Das hätte mir eigentlich früher auffallen müssen.
Sein Blick, als er ihr nachgelaufen ist...

Wenn du ihn willst, schnapp ihn dir!
BUBUMM
Wer ist da?
ZACK

Ich kann deine Angst spüren.
Ich werde dir helfen. Dann wird dich nie-nand mehr überstrahlen!
SCHLUCK
Wer bist du ...?!

Ich bin Yue, deine Freundin.
Du hast dich doch nach Unterstützung gesehnt, richtig?
Ich habe auf dich gewartet!
Auf mich ...?

Ja. Ich bin gekommen, um deinen Wunsch zu erfüllen.
BLINZEL
Meinen Wunsch ...?

Hehe ...

Was treibst du denn da, Rekka? Willst du dich nicht ein bisschen beeilen?
BLINZEL
Nicht, dass Aoi sie dir noch vor der Nase wegschnappt!
BLINZEL
Himes Picknickkorb
Was?
Na, du bist doch schließlich nur in dieser Welt geblieben, weil du dich in Yume verknallt hast, oder?
Quatsch.
Lüg mich nicht an! Ich weiß es ganz genau!
Knack Knack
Feuermagie
Die Kirschblüten ...

Vor zehn Jahren in der Schattenwelt
Du darfst die Blüten nicht abreißen, Yuu!
Halt den Mund, Rekka! Das sind nun mal die einzigen Kirschblüten!
Schenk sie einfach dem Mädchen, auf das du stehst!
Frauen lieben Kirschblüten! Das funktioniert immer!
Einem Mädchen ...?
ERRÖT
Viel Glück, Kumpel!
Schwupp
H...Hey!
Rekka! Was treibst du denn da?!
Was ?!

Oh nein! Du kannst doch nicht einfach die Kirschblüten vom Baum der Priesterin abreißen!
TRAP
Warte, Yue! Rekka würde so was nie tun!
Und was soll das dann?
Das hat bestimmt einen guten Grund!
...
Was ist denn los?
Priesterin!
Hier, die sind für dich! Gefallen sie dir?
Oh, danke!
Aber weißt du Rekka, wenn du sie pflückst, werden sie bald sterben.
...

Tut mir leid, liebe Blüten!
VERNEIG
Du bist ein gutes Kind, Rekka!
Du bist achtsam und liebevoll und deinen Freunden immer treu.
BLINZEL
Bleib so wie du bist, lieber Rekka!

Priesterin, ich...
...
Rekka!
ZACK
!

Die Blüten werden zu Stein ?!
Was ist das?!
WAPP
Yume ist verschwunden! Dabei hab ich ihr gesagt, sie soll in ihrem Zimmer warten!
Was?! Das darf doch nicht wahr sein...!

Bitte nicht ...
Wir müssen sie suchen!

Warum hast du das mit den Blüten gemacht?! Sie waren doch so schön!
Fass mich nicht an! Wer bist du überhaupt?!
Wenn du's unbedingt wissen willst... Ich bin der Genbu der Schattenwelt, Yuu Hokkyu!
Ich wollte mir mal ansehen, wer ihm so den Kopf verdreht hat.
So hübsch bist du gar nicht. Auch nicht besonders gut gebaut.
Wie bitte?! Den Kopf verdreht? Wem?
HMPF

Im Namen des schwarzen Herrschers beschwöre ich dich herauf, viertes Sternbild des Nordhimmels ...
... Tomite!
ZACK
北方黒帝第四宿
TOMITE
!
Werde zu Stein, meine liebliche Blüte!
Kicher
北方黒帝第五宿
Was...?
KRACK

ZACK
Hör auf damit!
Bist du okay?
Yume !!
Yume-chan!
Rekka! Aoi-kun!
Ich hab dich schon erwartet, Rekka!
Hehe!

Yuu! Ich hab's gewusst!
Dann erkennst du die Priesterin also auch nicht an?
Gut beobachtet!
Auch wenn es mir schwer fällt, mich gegen meinen Sandkastenfreund zu stellen.
Ich hab nicht vergessen, was vor 10 Jahren war.
Aber wenn du dir bei ihr so sicher bist, nimm sie doch einfach mit in unsere Welt!
!
Finger weg! Wie oft denn noch ?!
WACK
Aua!

Na warte !!
ZOOM
Im Namen ...
... des schwarzen Herrschers ...
... beschwö-re ich dich herauf, fünf-tes Sternbild Umiya-me!
Uaaah !
ZOSCH
Aoi-kun!

Ng...
Aoi!
Schwächling! Was willst du denn mit dem?
Also, Rekka! Kommst du mit?
Wenn nicht, wird deine Freundin leider in Stein verwandelt.
Wo ist sie hin ?!

Hab ich euch!
Kuro-be!
Oh Mann, bist du schwer!
Du solltest dich beeilen, Yume.
Womit denn…?
So einfach lass ich dich nicht entwischen!
ZACK
Vor allem nicht mit so 'nem alten Kerl!

!
ZOSCH
WUSCH

Ich bin Genbu, der Herrscher des nördlichen Himmels.
Und ich werde die Kleine hier beschützen!

Kurobe!
Kurobe ist der Genbu der diesseitigen Welt!

Nenn mich nie wieder einen alten Kerl, du Früchtchen! Ich muss dir wohl...
... Manieren beibrin-gen!

WOPP
Hilf mir! Im Namen ...
... des schwarzen Herrschers ...
WOPP
Im Namen des Herrschers des Wassers...
Nicht!
Ihr dürft ihn nicht...

... noch mehr heraus-fordern!!
WOFF
Rekka!
AH!

Yuu! Ich beschütze die Pries-terin mit meinem Leben!
Rekka...!
Ist das dein Ernst? Du stellst dich gegen mich ...?
PLING

Ich gehöre jetzt zu ihnen. Ich bleibe hier, bis ich das Kirin gefunden habe.
Ach so ist das...
Das wirst du büßen!
Im Namen des schwarzen Herrschers...
ZOOOOM
Im Namen des Herrschers des Feuers...
Rekka...!
Nein!
Das darf nicht sein...!
KREISCH

Ach ...
HOPP

... tung !!

PLATSCH
Matsch
Was sollte das denn ?!
GRMPF
Das ist die Strafe dafür, dass du die Kirsch-blüten kaputt gemacht hast!
Bohnen-mus
Und dafür, dass ihr euch streitet! Ich hasse es, wenn Freunde streiten !!

AH...
Haha... Also echt!
Dafür deine Kräfte als Priesterin einzusetzen ...!
Ganz schön naiv!
Das waren doch nur Kirsch-blüten!
GRINS

Aua! Geht das nicht ein bisschen sanfter?
Ich versuch's ja!
Und was ist mit Aoi?
Wieso? Der ist doch nicht so schlimm verletzt wie du...
Geht's ?
...
Ja.
Schließlich sind wir Freunde.

Yume ...!
Danke!
Ah...
Er lacht!
Ich bin ja so froh!
SCHNIEF

Warum weinst du denn jetzt? Dummer-chen!
Ich glaub, ich hab mich...

... in Rekka verliebt!
Weiter geht's in Band 2!

SPECIAL
Templemaid's Dream
Yume Yume ☆ YoYo
Die Vier Gottheiten
Sagt mal, was sind die Vier Gottheiten eigentlich?
Was ist das denn für 'ne Frage?
Wir beschützen den Kaiserhof, indem wir die vier Himmelsrichtungen sichern.
Allerdings beschützen wir im Moment nur dich.

Und was bedeutet „Suzaku"?
„Su", das heißt doch „Rot", oder?
Genau! Und „Zaku" bedeutet „Spatz". Also „roter Spatz"!
So ein Unsinn!

Ich bin der Beschützer des Südens, mein Element ist das Feuer!
Feuervogel! Suzaku heißt Feuervogel!
Krass, oder?
Ich dachte schon, Hähnchen! So wie der sich immer aufführt...
Gacker

Aoi-kun, was Seiryu bedeutet, weiß ich. Du bist der Beschützer des Ostens mit dem Element Wasser, richtig?
Dein Name bedeutet „Drachen".
Genau. Wusstest du, dass Drachen der Legende nach die ersten Lebewesen waren, die auf unserer Erde entstanden sind?
Pah!
Hmpf
Weißt du, was Genbu bedeutet, Yume?
Äh...
Das ist doch dieses Schildkrötending mit dem Schlangenschwanz, oder? Igitt... Das passt zu Ihnen!
Igitt?! Na warte, du freches Gör!
Dafür gibt's eine Strafarbeit!
WOMP
Tut mir leeeeid!
Genbu ist der Beschützer des Nordens mit dem Element Erde.
'Ne Schildkröte!
Kicher

Wisst ihr jetzt über die Vier Gottheiten Bescheid? Also dann, wir sehen uns wieder in Band 2!

NACHWORT

Vielen Dank an alle Leser! Ich freu mich schon, euch in Band 2 wiederzusehen!

*** SPECIAL THANKS ***

Momo Utsugi – Du bist echt toll!

Rumiko Nagano – Danke, dass du mir immer wieder geholfen hast!

Rui Watanabe – Fräulein Gänsehaut!

Toshiko Hikoyama – Super Assistant Coffee Lady!

Saki – Bells und Kais Freund

Shiori Nakazawa – Bussi, bussi!

Sakuya Ippo – Mailadresse: Host Sakuya!

Gori – Das Essen war lecker! Auch wenn unsere Gespräche etwas zäh waren...

Miyabi Suzuki – Hip Attack!

Mei Hiromi – Ich danke dir von Herzen!

Redakteur:
Kawamoto-sama und der süße Masahiro!

HEYNE MANGA
Art Pink Hanamori
Story Michiko Yokote
Mermaid Melody
Pichi Pichi Pitch
HEYNE
7
Pink Hanamori
Michiko Yokote
Mermaid Melody
Pichi Pichi Pitch
HEYNE
2
Pink Hanamori
Michiko Yokote
Mermaid Melody
Pichi Pichi Pitch
1
Mermaid Melody
Pichi Pichi Pitch

Das Doppelpack für Otakus
koneko
コネコ
Das Trendmagazin für Otakus
Manga-News
Anime-Check
Workshop
Doujinshi
uvm...
neu
Im monatlichen Wechsel
peach
桃 ピーチ
Das etwas andere Lifestyle-Magazin
J-Music
Kino & DVD-News
Cosplay
Fashion-Tipps
uvm....
www.raptor.de

STOPP, STOPP, STOPP...

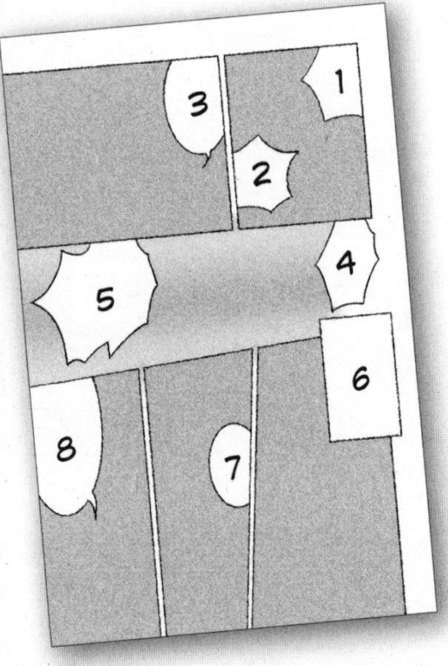

„YUME YUME YU YU" IST EIN *MANGA* – UND DEN LIEST MAN WIE DIE JAPANER VON HINTEN NACH VORN. DIES IST ALSO DIE *LETZTE* SEITE! DESHALB: GANZ SCHNELL DAS BUCH UMDREHEN UND LOSLESEN!

ACH SO: AUCH DIE BILDER UND SPRECHBLASEN WERDEN VON RECHTS OBEN NACH LINKS UNTEN GELESEN, SO WIE ES DIE GRAFIK HIER ZEIGT...

VIEL SPASS!

Die Originalausgabe
Templemaid's Dream – Yume Yume Yu Yu, Band 1
erschien 2006 bei Kodansha Ltd., Tokyo

Aus dem Japanischen von Alexandra Klepper
Umwelthinweis: Das Buch wurde auf chlor- und säurefreiem Papier gedruckt.
Redaktion: Sebastian Mock · Lettering: Delia Wüllner

Deutsche Erstausgabe 06/2007

First published in Japan in 2006 by Kodansha Ltd., Tokyo
Publication rights for this German edition arranged through Kodansha Ltd., Tokyo.

in der Verlagsgruppe Random House GmbH · Printed in Germany 2007
Herstellung: Animagic, Bielefeld · Druck und Bindung: GGP Media GmbH, Pößneck
ISBN: 978-3-453-59592-7 · **www.manga-heyne.de**